O. Henry

O Presente dos Magos

UM CONTO DE NATAL

Tradução: Luara Lopes

O Presente dos Magos © Fernanda Emediato

1ª edição — dezembro de 2023

Henry, O.
    O Presente dos Magos / O. Henry; tradução de
Luara Lopes. - São Paulo: Editora Troia, 2023.
Título original: The Gift of the Magi

    ISBN: 978-65-88436-70-7 (Impresso)
    ISBN: 978-65-88436-68-4 (Epub-3)
    ISBN: 978-65-88436-69-1 (Audiolivro)

1. Literatura Americana - Conto. 2. Natal - Ficção. 3.
Presentes - Ficção. I. Emediato, Fernanda, trad. II. Título.
III. Editora Troia

CDD – 813.54
CDU – 821.111(73)-34

Troia Editora
Rua Pompeia, 80 | Jd paulista|
Atibaia| SP| 12947-371
troia@troiaeditora.com.br

SUMÁRIO

O Presente dos Magos

5

Sobre o Autor

25

Guia Passo a Passo:

Como Fazer Velas Artesanais com
Folhas de Cera Alveolada

29

UM DÓLAR E OITENTA E SETE CENTAVOS. Era tudo. E sessenta centavos eram em moedas. Moedas economizadas uma e duas de cada vez, ao negociar duramente com o merceeiro, o verdureiro e o açougueiro, até que as bochechas queimavam com a silenciosa acusação de mesquinhez que tal barganha implícita sugeria. Della contou três vezes. Um dólar e oitenta e sete centavos. E o próximo dia seria Natal.

O. Henry

Claramente, não restava nada a fazer, exceto se jogar no pequeno sofá gasto e chorar. E foi o que Della fez. O que leva à reflexão moral de que a vida é feita de soluços, fungadas e sorrisos, com as fungadas predominando.

Enquanto a senhora da casa vai gradualmente passando do primeiro para o segundo estágio, dê uma olhada no lar. Um apartamento mobiliado por $8 por semana. Não chegava a ser miserável, mas certamente parecia estar à espera da equipe de mendicância.

No vestíbulo abaixo, havia uma caixa de correio onde nenhuma carta entrava, e um botão elétrico do qual nenhum dedo mortal poderia extrair um som. Também havia um cartão com o nome "Sr. James Dillingham Young."

O "Dillingham" havia sido ostentado em um período anterior de prosperidade, quando seu possuidor ganhava $30 por semana. Agora, com a renda reduzida para $20, eles pensavam seriamente em mudar para um modesto e discreto D. Mas sempre que o Sr. James Dillingham Young chegava em casa e subia para seu apartamento, era chamado de "Jim" e calorosamente abraçado pela Sra. James Dillingham Young, já apresentada a você como Della. O que é muito bom.

Della terminou seu choro e cuidou das bochechas com o pó. Ela ficou junto à janela e olhou sem expressão para um gato cinza andando em uma cerca cinza em um quintal cinza. Amanhã seria o Dia de Natal, e ela tinha apenas $1.87 para comprar um presente para Jim. Ela vinha economizando cada centavo que podia há meses, com esse resultado. Vinte dólares por semana não vão longe. As despesas haviam sido maiores do que ela calculou. Sempre são. Apenas $1.87 para comprar um presente para Jim. Seu Jim. Muitas horas felizes ela passou planejando algo bom para ele. Algo fino e raro e genuíno — algo um pouco próximo de ser digno da honra de ser possuído por Jim.

Havia um espelho de pé entre as janelas do quarto. Talvez você tenha visto um espelho de pé em um apartamento de $8. Uma pessoa muito magra e ágil pode, observando seu reflexo em uma sequência rápida de tiras longitudinais, obter uma concepção bastante precisa de sua aparência. Della, sendo esbelta, havia dominado a arte.

De repente, ela girou da janela e parou diante do espelho. Seus olhos brilhavam intensamente, mas seu rosto havia perdido a cor em vinte segundos. Rapidamente, ela soltou o cabelo e o deixou cair até seu comprimento total.

Agora, havia duas posses dos Youngs, James Dillingham, nas quais ambos tinham um grande orgulho. Uma era o relógio de ouro de Jim,

O. Henry

que havia sido de seu pai e de seu avô. A outra era o cabelo de Della.

Se a rainha de Sabá morasse no apartamento do outro lado do poço de ar, Della teria deixado seu cabelo pendurado pela janela algum dia para secar, apenas para depreciar as joias e presentes de Sua Majestade. Se o rei Salomão fosse o zelador, com todos os seus tesouros empilhados no porão, Jim teria tirado seu relógio toda vez que passasse, só para vê-lo puxar a barba de inveja.

Então, agora, o belo cabelo de Della caía ao seu redor, ondulando e brilhando como uma cascata de águas castanhas. Ele alcançava abaixo de seu joelho e quase se tornava uma vestimenta para ela. E então ela o prendeu novamente, nervosa e rapidamente. Uma vez, ela hesitou por um minuto e ficou parada enquanto uma ou duas lágrimas respingavam no desgastado tapete vermelho.

Ela vestiu seu velho casaco marrom; colocou seu velho chapéu marrom. Com um rodopio de saias e com o brilho ainda em seus olhos, ela saiu porta afora e desceu as escadas para a rua.

Onde ela parou, o sinal dizia: "Madame Sofronie. Artigos de Cabelo de Todos os Tipos." Della subiu correndo um lance de escadas e se recompôs, ofegante. Madame, grande, pálida demais, fria, mal parecia a "Sofronie".

— Você compra meu cabelo? — perguntou Della.

— Compro cabelo, — disse madame. — Tire seu chapéu e vamos ver como ele é.

O cabelo castanho desceu em cascata.

— Vinte dólares, — disse madame, levantando a massa de cabelo com uma mão experiente.

— Dê-me rápido, — disse Della.

Oh, e as próximas duas horas passaram rapidamente em asas cor--de-rosa. Esqueça a metáfora malfeita. Ela estava vasculhando as lojas pelo presente de Jim.

Ela finalmente encontrou. Certamente tinha sido feito para Jim e mais ninguém. Não havia outro igual em nenhuma das lojas, e ela as revirou de cima a baixo. Era uma corrente de relógio de platina, simples e elegante no design, proclamando seu valor pela substância sozinha e não por ornamentos meretrícios — como todas as coisas boas deveriam fazer. Era até digna do Relógio. Assim que o viu, ela soube que deveria ser de Jim. Era a cara dele. Quietude e valor — a descrição se aplicava a ambos. Vinte e um dólares eles tiraram dela por isso, e ela correu para casa com os 87 centavos. Com aquela corrente em seu relógio, Jim poderia estar adequadamente preocupado com a hora em qualquer companhia. Grande como o relógio era, ele às vezes o olhava às escondidas por causa da velha tira de couro que usava no lugar de uma corrente.

Quando Della chegou em casa, sua euforia deu lugar um pouco à prudência e à razão. Ela pegou seus ferros de cachear e acendeu o gás e começou a trabalhar para reparar os estragos feitos pela generosidade somada ao amor. O que é sempre uma tarefa tremenda, queridos amigos — uma tarefa gigantesca.

Dentro de quarenta minutos, sua cabeça estava coberta com pequenos cachos apertados que a faziam parecer maravilhosamente com um garoto escolar fujão. Ela olhou seu reflexo no espelho longa, cuidadosa e criticamente.

— Se Jim não me matar, — ela disse para si mesma, — antes de dar uma segunda olhada em mim, ele dirá que pareço uma garota de coro de Coney Island. Mas o que eu poderia fazer — oh! o que eu poderia fazer com um dólar e oitenta e sete centavos?

Às 7 horas, o café estava pronto e a frigideira estava no fogão, quente e pronta para cozinhar as costeletas.

Jim nunca se atrasava. Della dobrou a corrente de relógio em sua mão e sentou-se no canto da mesa perto da porta pela qual ele sempre entrava. Então ela ouviu seus passos na escada lá embaixo no primeiro lance, e ela ficou pálida por apenas um momento. Ela tinha o hábito de fazer pequenas orações silenciosas sobre as coisas mais simples do dia a dia, e agora ela sussurrou: "Por favor, Deus, faça com que ele ainda me ache bonita."

A porta se abriu e Jim entrou e a fechou. Ele parecia magro e muito sério. Pobre rapaz, ele tinha apenas vinte e dois anos — e já carregava o peso de uma família! Ele precisava de um novo sobretudo e estava sem luvas.

Jim parou dentro da porta, imóvel como um setter ao sentir o cheiro de codorna. Seus olhos estavam fixos em Della, e havia uma expressão neles que ela não conseguia ler, e isso a aterrorizava. Não era raiva, nem surpresa, nem desaprovação, nem horror, nem nenhum dos sentimentos que ela estava preparada para enfrentar. Ele simplesmente a encarava fixamente com aquela expressão peculiar em seu rosto.

Della se desvencilhou da mesa e foi até ele.

— Jim, querido — ela chorou — não me olhe assim. Eu cortei e vendi meu cabelo porque eu não poderia ter passado o Natal sem te dar um presente. Ele vai crescer novamente — você não vai se importar, vai? Eu só tinha que fazer isso. Meu cabelo cresce muito rápido. Diga 'Feliz Natal!' Jim, e vamos ser felizes. Você não sabe que presente lindo e maravilhoso eu tenho para você.

— Você cortou o seu cabelo? — perguntou Jim, laboriosamente, como se ainda não tivesse chegado a essa conclusão óbvia mesmo depois do trabalho mental mais árduo.

— Cortei e vendi — disse Della. — Você não gosta de mim do mesmo jeito, de qualquer forma? Eu sou eu sem meu cabelo, não sou?

Jim olhou ao redor do quarto curiosamente.

— Você diz que seu cabelo se foi? — ele disse, com um ar quase de idiotice.

— Você não precisa procurá-lo — disse Della. — Está vendido, eu já disse — vendido e ido, também. É véspera de Natal, rapaz. Seja bom comigo, pois foi por você que ele se foi. Talvez os cabelos da minha cabeça fossem numerados — ela continuou com uma doçura séria repentina — mas ninguém nunca poderia contar meu amor por você. Devo colocar as costeletas, Jim?

Jim rapidamente saiu de seu transe. Ele abraçou sua Della. Por dez segundos, vamos considerar com discrição um objeto inconsequente em outra direção. Oito dólares por semana ou um milhão por ano — qual é a diferença? Um matemático ou um espirituoso lhe daria a resposta errada. Os magos trouxeram presentes valiosos, mas isso não estava entre eles. Esta afirmação obscura será iluminada mais tarde.

Jim tirou um pacote do bolso do casaco e jogou-o sobre a mesa. Não faça nenhum erro sobre Jim. Ele era meticuloso. Também algo de um prático, embora ele tivesse um resquício de sentimentalismo nele. Mas ele queria dar a Della algo bem agradável para o Natal. Havia claramente evidências disso, na defensiva asserção que um homem não pode ser julgado pelo tamanho de seu armário. Jim tinha um presente para Della.

Mas primeiro ele se certificou de que o café estava quente. Então ele se aproximou da mesa e pegou o pacote.

— Não faça um erro, Dell — ele disse. — Eu não acho que há nada no caminho do corte de cabelo ou barbear que poderia me fazer gostar menos de você. Mas se você abrir esse pacote, você pode ver por que você me assustou no começo.

Branca e nítida, mas com os olhos brilhando, Della rasgou o papel e deu um grito de alegria. Ah, mas era uma coisa esplêndida! Duas presilhas de penteado, uma para cada lado da cabeça, exatamente no estilo e na cor para combinar com o lindo cabelo desaparecido. Eram presilhas de tartaruga legítima, com incrustações de pedras preciosas, e exatamente o que qualquer mulher que deixasse crescer o cabelo longo como ela faria. Ela ficou extasiada por um momento, mas seu coração estava muito cheio e suas expressões muito rápidas para permitir que ela não percebesse a ironia da situação.

Ela abraçou-os; ela os segurou perto, e finalmente olhou para cima com lágrimas nos olhos e sorriu.

— Meu cabelo cresce tão rápido, Jim! — E então Della pulou como um gato ferido e chorou: — Oh, oh!

Jim não havia visto suas belas presilhas. Ele estava olhando, com um olhar perplexo, para a corrente de relógio, que era para o seu relógio.

— Dell — disse ele — vamos colocar nossos presentes de Natal de lado e guardá-los por um tempo. Eles são muito bonitos para usar agora. Eu vendi o relógio para comprar suas presilhas de cabelo. E agora, suponho, você terá que colocar as costeletas na frigideira, não é?

Os magos, como é de seu conhecimento, eram homens de grande sabedoria — incrivelmente sábios — que levaram presentes ao Menino na manjedoura. Foram eles que iniciaram a tradição de presentear no Natal. Devido à sua sabedoria, os presentes que escolheram eram, indubitavelmente, sábios. E assim, acabo de lhe contar a história não revelada dos presentes dos magos.

SOBRE O AUTOR

NOME:
O. Henry (pseudônimo de William Sydney Porter)

DATA DE NASCIMENTO:
11 de setembro de 1862

DATA DE FALECIMENTO:
5 de junho de 1910

O. Henry, cujo nome verdadeiro era William Sydney Porter, foi um renomado escritor de contos curtos da virada do século XIX para o XX. Ele nasceu em Greensboro, Carolina do Norte, em 1862. Sua vida foi marcada por

O. Henry

reviravoltas e desafios que eventualmente o levaram ao mundo da literatura.

Porter teve uma educação limitada e começou sua carreira como aprendiz de farmacêutico, o que o levou a trabalhar em diferentes lugares, incluindo o Texas, onde desenvolveu um interesse pelas histórias e pelas pessoas que conheceu. No entanto, sua carreira farmacêutica foi interrompida quando ele foi acusado de desfalque em um banco, um crime que ele alegadamente não cometeu.

Após uma condenação e uma sentença de prisão, Porter aproveitou o tempo na prisão para aprimorar suas habilidades de escrita. Durante esse período, ele começou a usar o pseudônimo

"O. Henry". Após sua libertação, ele se mudou para Nova York, onde sua carreira literária decolou.

O. Henry é mais conhecido por seus contos curtos, que muitas vezes apresentam tramas surpreendentes e reviravoltas inesperadas. Suas histórias capturam a vida urbana da Nova York do início do século XX, com um toque de humor e empatia pelas pessoas comuns.

Algumas de suas obras mais famosas incluem "O Presente dos Magos", "A Dádiva dos Reis Magos" e "O Último dos Moicanos". Seu estilo único e narrativas habilmente construídas tornaram-no um dos escritores mais queridos da época.

O. Henry

No entanto, a saúde de O. Henry começou a se deteriorar, e ele morreu prematuramente em 1910, aos 47 anos, devido a complicações relacionadas à cirrose hepática. Apesar de sua vida curta, deixou um legado duradouro na literatura americana, e suas histórias continuam a ser lidas e apreciadas por gerações de leitores em todo o mundo.

GUIA PASSO A PASSO:

Como fazer velas artesanais com folhas de cera alveolada

MATERIAIS NECESSÁRIOS:

- **Folhas de cera alveolada**

- **Pavio para velas** (comprimento deve ser pelo menos 2 cm maior do que a altura da sua vela)

- **Tesoura**

- **Régua** (opcional, para medições precisas)

- **Secador de cabelo** (opcional, para amolecer a cera)

Guia Passo a Passo: **Como fazer velas artesanais com folhas de cera alveolada**

INSTRUÇÕES:

- **Preparar a Folha de Cera:** Se a cera estiver muito dura ou fria, você pode amolecê-la ligeiramente com um secador de cabelo. Não superaqueça; apenas o suficiente para torná-la maleável.

- **Medir e Cortar a Cera:** Usando a régua, meça a folha de cera para o tamanho desejado da vela. A largura da folha determinará a altura da vela. Corte a folha de cera com a tesoura no tamanho desejado.

- **Preparar o Pavio:** Corte o pavio de modo que ele seja um pouco mais longo do que a altura da vela que você está fazendo. Isso facilitará o acendimento da vela mais tarde.

- **Posicionar o Pavio:** Coloque o pavio na borda da folha de cera, deixando uma pequena parte do pavio estendendo-se para fora da cera no topo. Certifique-se de que o pavio esteja reto.

- **Enrolar a Vela:** Comece a enrolar a cera firmemente em torno do pavio. Mantenha a pressão uniforme para que a vela fique com a forma desejada e o pavio fique centralizado.

- **Selar a Vela:** Quando chegar ao final da folha, pressione levemente a borda para selar a vela. Se necessário, use o calor das mãos para amolecer a cera e fazer a vedação.

- **Ajustar o Pavio:** Corte o pavio que está sobrando na base da vela, se necessário. Deixe um pouco de pavio na parte superior para facilitar o acendimento.

- **Verificar e Corrigir:** Verifique se a vela está bem enrolada e se o pavio está centralizado. Faça ajustes se necessário.

- **Cura da Vela:** Deixe a vela descansar por algumas horas para que a cera se estabilize e endureça.

- **Acender a Vela:** Sua vela de cera alveolada está pronta para ser usada. Acenda o pavio e desfrute da luz e do aroma suave que ela proporciona.

DICAS ADICIONAIS:

✔ Se você estiver fazendo velas em um ambiente frio, trabalhar próximo a uma fonte de calor pode ajudar a manter a cera maleável.

✔ **Você pode** fazer velas de diferentes tamanhos e formas ajustando o tamanho da folha de cera e o comprimento do pavio.

✔ **Seja criativo!** Você pode adicionar corantes ou essências à cera, mas isso deve ser feito antes de formar a folha alveolada.